Oops & Ohlala

Happy Birthday!

Une histoire de Mellow
illustrée par Amélie Graux

Aujourd'hui c'est l'anniversaire de Tom.

It's time to buy
Tom's present.

Je suis riche :
j'ai trois pièces.

Tom préfère les poupées ou les camions?

He loves drawing. Let's go for a colouring book and crayons.

Oh la la…
C'est difficile
de couper
droit.

Oops… This tape is really messy.

Flour, sugar, butter, eggs...

... et un tout petit peu de chocolat.

One, two,
three, four,
five...
and one for
good luck!

Moi, je me déguise en fantôme.

And I'll wear
my clown costume.

Et en plus,
nous sommes prêts
pour demain.

Dans la même collection :

Conception graphique : Claire!
Conception couverture : Elsa Le Duff
© Talents Hauts, 2016

ISBN : 978-2-36266-165-5
Loi n°49-956 du 16 juillet 1949 sur les publications destinées à la jeunesse
Dépôt légal : juin 2016
Achevé d'imprimer en Italie par Ercom